GLENCOE

Diagnostic Tests

Placement Tests for Heritage Language Learners

New York, New York Columbus, Ohio Chicago, Illinois Peoria, Illinois Woodland Hills, California

The McGraw-Hill Companies

Send all inquiries to:
Glencoe/McGraw-Hill
8787 Orion Place
Columbus, OH 43240-4027

ISBN: 0-07-869594-5

Printed in the United States of America.

2 3 4 5 6 7 8 9 10 045 10 09 08 07 06

CONTENTS

Introduction

Instructions for Administering the Test

This test is intended to assist with the placement of Middle and High School students in either standard Spanish as a Foreign Language classes or classes of Spanish for Heritage Speakers. For students who place in the Heritage Speaker course, the test also indicates their proficiency level—the higher proficiency level (Group I) or the lower proficiency level (Group II). This is a placement test and, therefore, should not be used as an achievement test.

There are a total of seven tests, or **exámenes**, each designed to measure a specific skill: oral comprehension, reading comprehension, grammar, vocabulary, speaking, and writing. However, Tests 6 and 7 are optional and are intended to be used only if the teacher feels that further testing is necessary to ensure proper placement.

Tests 1 through 4 are multiple-choice, allowing them to be administered and scored by any teacher or administrator, regardless of whether or not he or she knows Spanish. Test 5 is a speaking test. It can be administered by a non-Spanish-speaking professional using the test CD and a tape recorder for the students' responses. However, it must be evaluated by a Spanish-speaking professional. Test 6 is an interview. For this reason it must be administered and evaluated by a Spanish-speaking professional. Test 7 is a writing test and can be administered by any teacher or administrator. However, it must be evaluated by a Spanish-speaking professional.

The following is a list of materials needed to administer all tests:

- the Diagnostic Tests booklet
- a copy of the tests (Tests 2–4) for each student
- a Student Answer Sheet for each student
- the test CD and a CD player for Test 1 and Test 5
- the Student Evaluation Card
- extra writing paper for Test 7

To administer Tests 1–4 follow these steps:

- Distribute a Student Answer Sheet and a copy of Tests 2–4 to each student.
- Instruct students to put aside their copy of Tests 2–4 until the Oral Comprehension Test (Test 1) is completed.
- Instruct students to have their Student Answer Sheet ready to mark answers.
- Begin playing the test CD and tell students to follow the instructions for the Oral Comprehension Test.
- Once you have finished administering Test 1, have students continue with Tests 2, 3, and 4. Note: You may wish to have all examinees listen to Test 1 a second time to check their answers.
- Ask students to put their test materials down and wait for further instructions once they have completed Tests 2–4.

To administer the speaking test (Test 5) follow these steps:

- Have the test CD, a CD player, and a tape recorder ready.
- Play Track 4. There are ten questions. Students will hear a beep after each question which signals them to begin recording their answers. Another beep will signal them to stop recording and begin listening to the next question. There will be enough time allowed between questions for students to answer.
- Continue with Track 5. Students will hear instructions and be given a few moments to study the pictures before they begin to record their answers. A beep will signal when they are to begin recording.
- Have a Spanish-speaking professional score students' answers on the Student Evaluation Card using the rubric provided.

If you choose to give the Interview Test (Test 6), follow these steps:

- Turn to Test 6 in the test booklet and read the prompt to the student.
- Take part in the conversation with him or her.
- Use the Evaluation Sheet to score the student according to the rubric provided.

Scoring Explanation and Rationale

Tests 1–4

This battery of diagnostic tests will enable you to:

- Identify those students who can be placed in a Heritage Speaker course and those who require Spanish as a Foreign Language.
- Identify the proficiency level of students placed in the Heritage Speaker course. Students identified as Group I have a higher proficiency level and demonstrate complete bilingualism or Spanish dominance. Students identified as Group II have a lower proficiency level. They are "passively bilingual" but still do not need to take Spanish as a Foreign Language.

Note: Group I and Group II do not refer to first- or second-year courses but rather to the proficiency levels of students. You may wish to refer to the Evaluation Card and Rubrics for clarification as you continue to read.

Each of the first four tests—Oral Comprehension, Reading Comprehension, Grammar in Context, and Verbal Ability—is worth 100 points for a total of 400 points.

The main criteria in determining the placement of students in either a Spanish as a Foreign Language course or a Heritage Speaker course is the individual student's ability or lack of ability to understand spoken Spanish. Therefore, the Oral Comprehension Test (Test 1) is the most important one in making this determination.

Students who receive a score of 80 or lower on the Oral Comprehension Test (Test 1) should be placed in Spanish as a Foreign Language.

Students who receive a score higher than 80 on the Oral Comprehension Test (Test 1) should be considered for the Heritage Speaker course. Some of these students may, however, have a weak foundation in reading comprehension, grammar, and vocabulary usage because of a lack of formal instruction in the Spanish language. For this reason they may receive much lower scores on Tests 2, 3, and 4. Given the fact that these skills will be taught in the Heritage Speaker course, students who receive a high score (above 80) on the Oral Comprehension Test should be able to function in the Heritage Speaker course in spite of their lower scores in the other skill areas.

Students who receive a composite score between 100 and 250 on Tests 1 through 4 are considered "passively bilingual." These students may actually be English dominant but because of their oral comprehension ability can function in a Heritage Speaker course as Group II students—II referring to a lower proficiency level.

Students who receive a composite score between 250 and 400 are truly bilingual or Spanish dominant and can function in a Heritage Speaker course as Group I students—I referring to a higher proficiency level.

Tests 5–6

Students who receive a cumulative score lower than 100 on Tests 1 through 4 need not take the Spoken Language Tests (Tests 5–6) since they will be placed in Spanish as a Foreign Language.

If a student receives a total of 100 points on Tests 1 through 4 but receives a 0 to 4 on the Spoken Language Test, it is recommended that he or she take the Spanish as a Foreign Language course.

In addition to Test 5, you may wish to administer Test 6. This interview test enables you to take part and, therefore, encourage and challenge the student to speak more to diagnose to an even greater degree his or her speaking ability. Evaluate Tests 5 and 6 using the rubrics provided.

Test 7

If you wish to determine students' ability to write in Spanish you may wish to administer the Composition Test (Test 7). Many Group II students will have a very limited ability to write cohesively in Spanish. Evaluate Test 7 using the rubric provided.

Nombre ______________________ Fecha ______________

Student Answer Sheet

Examen 1
Comprensión oral

Parte 1
1. a. b. c. d.
2. a. b. c. d.
3. a. b. c. d.
4. a. b. c. d.
5. a. b. c. d.
6. a. b. c. d.
7. a. b. c. d.
8. a. b. c. d.
9. a. b. c. d.
10. a. b. c. d.
11. a. b. c. d.
12. a. b. c. d.
13. a. b. c. d.
14. a. b. c. d.

Parte 2
15. a. b. c. d.
16. a. b. c. d.
17. a. b. c. d.

Parte 3
18. a. b. c. d.
19. a. b. c. d.
20. a. b. c. d

Examen 2
Lectura—Comprensión

Parte 1
1. a. b. c. d.
2. a. b. c. d.
3. a. b. c. d.
4. a. b. c. d.
5. a. b. c. d.
6. a. b. c. d.
7. a. b. c. d.
8. a. b. c. d.
9. a. b. c. d.
10. a. b. c. d.

Parte 2
11. a. b. c. d.
12. a. b. c. d.
13. a. b. c. d.
14. a. b. c. d.
15. a. b. c. d.

Parte 3
16. a. b. c. d.
17. a. b. c. d.
18. a. b. c. d.
19. a. b. c. d.
20. a. b. c. d.

Examen 3
Comprensión de la gramática en contexto

Parte 1
1. a. b. c. d.
2. a. b. c. d.
3. a. b. c. d.
4. a. b. c. d.
5. a. b. c. d.
6. a. b. c. d.
7. a. b. c. d.
8. a. b. c. d.
9. a. b. c. d.
10. a. b. c. d.

Parte 2
11. a. b. c. d.
12. a. b. c. d.
13. a. b. c. d.
14. a. b. c. d.
15. a. b. c. d.
16. a. b. c. d.
17. a. b. c. d.
18. a. b. c. d.
19. a. b. c. d.
20. a. b. c. d.
21. a. b. c. d.
22. a. b. c. d.
23. a. b. c. d.
24. a. b. c. d.

Nombre ______________________ Fecha ______________________

25. a. b. c. d.
26. a. b. c. d.
27. a. b. c. d.
28. a. b. c. d.
29. a. b. c. d.
30. a. b. c. d.

Parte 3

31. a. b.
32. a. b.
33. a. b.
34. a. b.
35. a. b.
36. a. b.
37. a. b.
38. a. b.
39. a. b.
40. a. b.
41. a. b.
42. a. b.
43. a. b.
44. a. b.

Parte 4

45. a. b. c. d.
46. a. b. c. d.
47. a. b. c. d.
48. a. b. c. d.
49. a. b. c. d.
50. a. b. c. d.

Examen 4
Poder verbal—Vocabulario

Parte 1

1. a. b. c. d.
2. a. b. c. d.
3. a. b. c. d.
4. a. b. c. d.
5. a. b. c. d.
6. a. b. c. d.
7. a. b. c. d.
8. a. b. c. d.
9. a. b. c. d.
10. a. b. c. d.
11. a. b. c. d.
12. a. b. c. d.
13. a. b. c. d.
14. a. b. c. d.
15. a. b. c. d.
16. a. b. c. d.
17. a. b. c. d.
18. a. b. c. d.
19. a. b. c. d.
20. a. b. c. d.
21. a. b. c. d.
22. a. b. c. d.
23. a. b. c. d.
24. a. b. c. d.
25. a. b. c. d.

Parte 2

26. a. b. c. d.
27. a. b. c. d.
28. a. b. c. d.
29. a. b. c. d.
30. a. b. c. d.
31. a. b. c. d.
32. a. b. c. d.
33. a. b. c. d.
34. a. b. c. d.
35. a. b. c. d.
36. a. b. c. d.
37. a. b. c. d.
38. a. b. c. d.
39. a. b. c. d.
40. a. b. c. d.

Parte 3

41. a. b. c. d.
42. a. b. c. d.
43. a. b. c. d.
44. a. b. c. d.
45. a. b. c. d.
46. a. b. c. d.
47. a. b. c. d.
48. a. b. c. d.
49. a. b. c. d.
50. a. b. c. d.

Examen 1

Comprensión oral (Script)

Parte 1 Escucha cada conversación. Después escoge la respuesta apropiada a la pregunta que la sigue.

1. —¡Increíble! En una semana será la apertura de clases.
—¡Es verdad! Y no he comprado nada. Me hacen falta tantas cosas.
—Sí, cada año es la misma cosa. Y los años pasan tan rápido.

¿Qué tiene que comprar el joven?
a. la misma cosa
b. nada
c. materiales escolares
d. en una semana

2. —¿A qué hora te acuestas?
—¿Yo? Por lo general a las diez y media.
—¿Cuánto tiempo duermes?
—Pues, me levanto a eso de las seis.
—Luego, duermes unas siete horas y media.

¿De qué hablan?
a. del tiempo
b. de la hora
c. de cuanto duerme el joven
d. de cuanto cuesta

3. —¿A cuánto están los tomates?
—Hoy están a diez pesos el kilo.
—¿Diez pesos el kilo? ¡Qué caros!
—Sí, pero mire. Son muy buenos. Tienen muy buena pinta, ¿no?

¿Qué quiere saber la señora?
a. dónde están los tomates
b. el precio de los tomates
c. si los tomates pesan un kilo
d. si los tomates son buenos

4. —Angela, ¿por qué has decidido dar una fiesta?
—Porque Lupe cumple quince años.
—¿Cuándo será la fiesta?
—El quince de junio.
—¡También es el último día de clases!

¿Por qué va a dar una fiesta Angela?
a. Es el quince de junio.
b. Es el cumpleaños de una amiga.
c. Es el aniversario de los padres de Lupe.
d. Es el último día de clases.

5. —Me gustaría tomar el almuerzo en este café.
—A mí también. Todos dicen que la comida es muy buena.
—Yo sé que lo es. Ya he comido aquí.
—Pero, ¡mira! Hay tanta gente. No veo ninguna mesa libre.
—¡Qué pena! Y no puedo esperar porque voy un poco apresurado.
—Yo también.

¿Por qué no pueden tomar el almuerzo en el café?
a. Todas las mesas están libres.
b. No han comido allí.
c. Van apresurados. Tienen prisa.
d. Es una pena.

6. —El béisbol, el básquetbol, el fútbol: me gustan todos.
—Lo sé. Eres un verdadero aficionado.
—No soy sólo aficionado. Soy también un jugador fabuloso.
—Sí, y además eres muy humilde.

¿De qué están hablando?

a. de los jugadores de fútbol
b. de la pelota
c. de los deportes
d. de los intereses que tienen los dos

7. —Sólo voy a tomar un baño de sol.
—¿No vas a nadar?
—No, el agua está muy fría hoy.
—Pues, a mí no me importa. Como tengo el traje de baño puesto, me voy al agua.

¿Dónde están?

a. en el agua
b. en el cuarto de baño
c. en un traje de baño
d. en la playa

8. —No me siento bien y me duele todo.
—¿Te duele todo? Dime, ¿dónde te duele?
—Me duele todo el cuerpo.
—¿Te duele el pecho?
—Sí, todo.
—A ver. Abre la boca. Ah, sí. Tienes la garganta muy roja. Me parece que tienes fiebre también.

¿Qué crees que tiene el joven?

a. un dolor mortal, muy grave
b. una pierna fracturada
c. un dolor de cabeza
d. la gripe

9. —Hay una cola muy larga.
—No me sorprende. He oído que la película es excelente. Tengo muchas ganas de verla.
—¿Quieres esperar en la cola?
—Sí, porque tardarán mucho en darla por la televisión.

¿Dónde van a ver la película?

a. en la cola
b. en la taquilla
c. en el cine
d. en la televisión

10–11. —¿Tienen ustedes vuelos para la Ciudad de México?
—Sí, tenemos dos vuelos diarios. Uno sale por la mañana y el otro sale por la tarde.
—Prefiero salir por la mañana para no llegar muy tarde.
—Pues, el vuelo de la mañana sale a las nueve treinta y cinco. Y tiene que estar en el aeropuerto dos horas antes de la salida.
—¿Cuánto es el pasaje?
—De ida y regreso, quinientos veinticinco dólares.

¿Dónde crees que está el joven?

a. en casa, hablando por teléfono con una agente de una línea aérea
b. a bordo del avión
c. en la puerta de salida del aeropuerto
d. de paseo

¿Cuándo hay vuelo para la Ciudad de México?

a. por la mañana solamente
b. cada día
c. de ida y regreso
d. quinientos veinticinco dólares

12. —No puedes esquiar ahora.
—¿No? ¿Por qué dices eso?
—Pues, en julio no se esquía.
—Allá de donde tú vienes, no se esquía en julio. Pero aquí, en Argentina, sí. Es pleno invierno.

¿Qué has aprendido al oír esta conversación?
a. que las estaciones son inversas en Norteamérica y Sudamérica
b. los meses del año
c. el tiempo
d. el esquí

13. —¿Te gusta este cuadro?
—Mucho. Mira los detalles que ha pintado el artista.
—Y me gustan los colores que ha escogido.
—Y mira, ¿qué te parece esta escultura?
—¡Fabulosa! Es del famoso escultor colombiano Botero.

¿Dónde están los amigos?
a. en el taller de Botero
b. en una clase de arte
c. en un teatro
d. en un museo

14. —Hace una hora que te estoy esperando. Exageras un poco, ¿no?
—Pues, siento mucho haber llegado tan tarde pero perdí el tren y tuve que esperar a que llegara el próximo.
—Eso no es una excusa. ¿Por qué no fuiste con tiempo a la estación?

¿Por qué llegó tarde el joven?
a. Llegó a tiempo a la estación.
b. Perdió el tren.
c. Hace una hora que está esperando el tren.
d. No hubo otro tren.

Parte 2 Escucha lo que dice cada persona. Después, escoge la respuesta a la pregunta que sigue.

15. Tiene ocho cuartos en total. La cocina es muy moderna. Los cuartos de dormir o recámaras son bastante grandes y el jardín que la rodea es muy bonito con muchas flores y árboles. Hay mucho espacio donde los niños pueden jugar.

¿Qué está describiendo la señora?
a. un parque
b. una escuela
c. un apartamento
d. una casa privada

16. Hay veinte alumnos en el laboratorio. En este momento el profesor está explicando lo que es una célula. La célula es el elemento básico y más importante de los seres vivientes. La mayoría de las células son tan pequeñas que sólo se pueden ver en un microscopio. La célula está envuelta en una membrana.

¿Dónde están los alumnos?
a. en un laboratorio de química
b. en un hospital
c. en un curso de biología
d. en una célula

17. Fría en aceite los pimientos y las cebollas picadas. Agregue el ajo y los tomates y fría ligeramente. Agregue el arroz. Revuelva el arroz con los tomates, las cebollas, los pimientos y el ajo. Agregue el consomé de pollo y llévelo a la ebullición.

¿Quién crees que está hablando?

a. el cocinero
b. el vendedor de legumbres o verduras
c. el mesero
d. la receta

Parte 3 Escucha la conferencia. Después, escoge la respuesta correcta a las preguntas que la siguen.

La obra más leída y más conocida de todas las letras hispanas es la novela *El ingenioso hidalgo don Quijote de la Mancha,* del autor español Miguel de Cervantes Saavedra.

En la novela hay dos personajes importantes: don Quijote y Sancho Panza. Don Quijote es alto y flaco. Sancho Panza, al contrario, es bajo y gordo. Don Quijote es un idealista ciego. Quiere conquistar todos los males que existen en el mundo. Al contrario, Sancho Panza es muy realista y trata de convencer a don Quijote de que no debe hacer muchas cosas que quiere hacer. Pero es raro que don Quijote haga caso de los consejos de Sancho.

Se ha dicho muchas veces que la figura de don Quijote es símbolo de la personalidad de Cervantes mismo.

Cervantes nació en Alcalá de Henares. Su familia no tenía mucho dinero y se mudaba con frecuencia. Viajó por muchas ciudades diferentes con muy pocos recursos económicos. Aprendió a apreciar su libertad y a disfrutar de la vida andariega, o sea, la vida de un vagabundo. Él adquirió un conocimiento directo de la vida.

18. ¿Cuál es la obra más leída y conocida de todas las obras literarias hispanas?
a. Miguel de Cervantes Saavedra
b. la novela *El Quijote*
c. Sancho Panza y don Quijote
d. Alcalá de Henares

19. ¿Qué trata de hacer Sancho Panza?
a. Trata de hacer comer a don Quijote para que no siga siendo flaco.
b. Trata de hacerlo más idealista.
c. Trata de disuadirlo de hacer muchas cosas que quiere hacer.
d. Don Quijote siempre hace caso de los consejos de Sancho.

20. ¿Cómo era la vida de Cervantes?
a. Era una vida feliz y acomodada. Siempre tenía mucho dinero.
b. Era una vida ideal.
c. Era una vida andariega, pasando por muchas ciudades con muy poco dinero.
d. Tenía la misma vida que Sancho Panza.

Examen 2

Lectura—Comprensión

Parte 1 Lee. Después escoge la mejor opción para completar cada oración.

La isla del encanto

Jesús Morales vive en la ciudad de Nueva York. Pero no es de Nueva York. Él es de Puerto Rico.

Jesús regresó a Puerto Rico para pasar sus vacaciones de invierno. Después de un vuelo de unas tres horas y media, su avión aterrizó en el aeropuerto internacional Luis Muñoz Marín en Isla Verde en las afueras de San Juan, la capital. Cuando Jesús salió del aeropuerto estaban allí para saludarlo sus tíos, primos y abuelos. Todos lo abrazaron, lo besaron y le dieron la bienvenida a casa.

Durante la semana con su familia en la isla del encanto, Jesús pasó dos días en la playa. Como Puerto Rico es una isla tropical, siempre hace calor. Jesús nadó y tomó el sol. Un día esquió en el agua. Es muy aficionado al esquí acuático. Muchos de sus amigos y primos hacían la plancha de vela, algo nuevo para Jesús. Un día ellos lo ayudaron a subirse en la plancha. Pero no se balanceó bien y más de una vez se cayó al agua. No es muy fácil hacer la plancha de vela, sobre todo cuando está soplando un viento bastante fuerte.

La última noche que Jesús pasó en Puerto Rico, sus parientes organizaron una fiesta de despedida. Todos fueron a la casa de sus tíos Enrique y Gladys. Su tía Gladys preparó una comida puertorriqueña: un lechón asado con arroz, habichuelas y tostones. Todos comieron, cantaron y bailaron. Lo pasaron muy bien. ¡Qué despedida más cariñosa para Jesús! Él disfrutó de su semana en Puerto Rico y tiene ganas de regresar lo más pronto posible.

1. Jesús vive en Nueva York pero es de ____.
- **a.** Cuba
- **b.** Puerto Rico
- **c.** México
- **d.** Nueva Jersey

2. Jesús llegó a Puerto Rico después de ____.
- **a.** un viaje largo en tren
- **b.** un viaje largo en carro
- **c.** un vuelo corto en avión
- **d.** un paseo por Isla Verde

3. Sus ____ lo esperaban cuando salió del aeropuerto.
- **a.** clientes
- **b.** amigos
- **c.** parientes
- **d.** padres

4. Durante sus vacaciones con la familia en Puerto Rico, Jesús pasó dos días ____.
- **a.** en casa de sus tíos Enrique y Gladys
- **b.** en la playa
- **c.** en la escuela con sus primos
- **d.** en la isla del encanto

5. Siempre hace calor en Puerto Rico porque ____.
- **a.** es una isla tropical
- **b.** es la isla del encanto
- **c.** tiene costa en el Atlántico y el Caribe
- **d.** está en Colombia

6. En Puerto Rico Jesús esquió ____.
- **a.** en Isla Verde
- **b.** en una plancha de vela
- **c.** en el agua
- **d.** como un aficionado

7. Otro deporte ____ que tiene muchos aficionados en Puerto Rico es la plancha de vela.
- **a.** de invierno
- **b.** de equipo
- **c.** submarino
- **d.** acuático

8. Cuando Jesús se subió a la plancha de vela ____.
- **a.** él se balanceó bien
- **b.** lo encontró muy fácil
- **c.** se cayó al agua
- **d.** esquió en el agua

9. Los tíos de Jesús le organizaron ____.
   a. una fiesta de aficionados
   b. una fiesta en la playa
   c. una fiesta de bienvenida
   d. una fiesta de despedida

10. En la fiesta todos ____.
   a. prepararon un lechón asado
   b. lo pasaron muy bien
   c. regresaron lo más pronto posible
   d. nadaron

Parte 2 Lee el siguiente fragmento de un cuento del autor mexicanoamericano Frank Pino. Después, escoge la respuesta correcta a cada pregunta.

La recámara de Papá Grande de Frank Pino

Cuando mi tío Pedro se mudó a unas doscientas millas de casa, nos dejó con diversas y ambivalentes emociones. Algunos parientes habían vivido en nuestra casa de tres recámaras desde que nos habíamos movido a la ciudad. En realidad no tenía más que dos recámaras pero habíamos convertido un cuartito de afuera en otro dormitorio para acomodar a los hermanos de mi familia que habían venido a vivir con nosotros.

Él fue el último en ir, así es que la casa quedó bastante vacía. Yo apenas empezaba la *high school* y para mí esto significaba una habitación exclusiva. También significaba que ya no tendría que venir desde afuera para lavarme, tratar de rasurarme, ir al excusado o cualquier cosa. Ahora todo lo que tenía que hacer era cruzar el pasillo y ya quedaba listo para participar completamente en los asuntos de la familia. Ya no sentía que me estaban gritando «trae esto o aquello», «ven a comer», y podría escuchar a escondidas lo que mis padres discutían, ya fuera importante o insignificante, o podría escuchar los chismes de los amigos y los parientes que venían a visitar.

Traje los dos o tres pares de pantalones y las camisas que mi madre me compraba a principios de cada año escolar, metí mis triques (cosas), pero me dieron a entender que este cuarto pertenecía a mi tío. Al fin y al cabo, él había comprado los muebles y era propio que se quedara allí cuando viniera a visitarnos...

Por varias razones este era un cuarto con mucha historia. Tanto mi tío Pedro como mi tía María habían vivido en él, pero claro no a la misma vez. Ella había vivido mientras que mi tío estaba en el ejército antes de que ella se escapara a Texas a casarse. Antes de ella, mis abuelos habían dormido en ese cuarto durante unos siete años...

La habitación no tenía ningún decorado particular. Sólo tenía una cama de matrimonio grande, un tocador que quedaba con la cama y un ropero portátil de masonite que tenía una cortina para puerta. El cuarto no tenía puerta, aquí también, nada más que una cortina que lo cerraba visualmente del pasillo. Pero era precisamente esta "puerta" que facilitaba escuchar conversaciones y saber por adelantado qué pasaría mañana, el domingo, o a cualquier momento del futuro.

11. ¿Quién o quiénes habían vivido en la casa?
   a. sólo los padres del joven narrador
   b. sólo el joven narrador
   c. algunos parientes de la familia
   d. sólo el tío Pedro

12. ¿Por qué quedó bastante vacía la casa?
   a. El joven narrador empezó la *high school*.
   b. Los padres de él se mudaron.
   c. Se fue el tío Pedro.
   d. No había excusado.

13. ¿Por qué estaba tan contento el joven narrador?
   a. Podía rasurarse cuando quería.
   b. Tenía una habitación para él sólo.
   c. Su tío estaba a unas doscientas millas de casa.
   d. Le gustaba comer y su madre siempre lo llamaba para comer.

14. ¿Cómo podía escuchar lo que decían sus padres el joven narrador?
a. Escuchaba cuando venían los amigos a visitar.
b. Escuchaba sin que ellos supieran que estaba escuchando.
c. Estaba listo para participar en los asuntos de la familia.
d. Escuchaba los chismes que eran importantes y significantes.

15. ¿Qué servía de puerta a la recámara?
a. un tocador
b. otro barrio
c. no tenía decorado particular
d. una cortina

Parte 3 Lee. Después escoge la mejor opción para completar cada oración.

Una leyenda española

En muchos países hispanohablantes los niños no reciben regalos el día de la Navidad. Los reciben el seis de enero, el día de los Reyes. La víspera del día de los Reyes, los niños ponen sus zapatos en la puerta, en el balcón o en una ventana abierta de la casa. Durante la noche reina el silencio y mientras duermen los niños llegan los tres Reyes Magos y llenan los zapatos de juguetes y dulces. Se dice que son los mismos Reyes Magos quienes trajeron regalos al Niño Jesús en el establo de Belén.

Fue un día de diciembre. Llovía a cántaros. Un estudiante muy pobre de la universidad vestido en harapos entró en un taller de zapatero. Le dio al zapatero un par de zapatos en muy malas condiciones. Le explicó al zapatero que eran los únicos que tenía su hermanito y le pidió hacerle unos zapatos nuevos. El zapatero quería saber la edad del hermanito. El estudiante pobre le dijo que tenía sólo cinco años y pensaba recibir zapatos nuevos de los Reyes. Así necesitaba los zapatos antes del seis de enero.

—Muy bien, joven. Vuelve en cuatro días y te aseguro que tendré hechos los zapatos.

Después de cuatro días el estudiante regresó y, como había prometido el zapatero, los zapatos estaban listos.

Al verlo el pobre estudiante se puso muy alegre.

—¡Qué zapatos más bonitos! ¿Cuánto le debo, señor?

—Nada. No me debes nada. Son un regalito para tu hermano.

—Mil gracias, señor. Es usted tan amable y tan bueno con mi familia pobre. Le prometo que algún día, cuando yo sea arzobispo de Toledo, voy a darle un regalo generoso.

—De acuerdo —contestó el zapatero con una sonrisa. Y no olvides de venir a visitarme si en cualquier momento te puedo servir en algo.

Pasaron los años. El zapatero envejeció. No podía seguir trabajando y vivía en la pobreza.

Un día se presentó en su taller un cura. El cura le pidió al viejecito que lo acompañara al palacio arzobispal de Toledo. El zapatero no quería ir. Tenía miedo. Pero el cura lo convenció y los dos se pusieron en camino hacia el palacio arzobispal.

Al llegar al palacio el arzobispo saludó al anciano y le dijo en tono cariñoso:

—Amigo mío, ya hace muchos años, cuando yo no era más que un pobre estudiante en Salamanca, usted me dio un par de zapatos para mi hermanito. Nunca podría olvidar su generosidad. No sé si se acordará usted de que yo había prometido darle un regalo generoso cuando fuera arzobispo de Toledo. Aquí tiene usted su regalo porque las buenas acciones deben ser recompensadas.

El arzobispo le dio una bolsa que contenía cincuenta onzas de oro y le pidió al anciano que le dijera con toda confianza si por acaso necesitaba algo más.

Llorando de felicidad, el viejo zapatero le dijo al arzobispo que con lo que acaba de regalarle, podría vivir cómodamente durante el resto de su vida. Sólo deseaba que a su muerte no quedaran abandonadas sus dos hijas.

—No se preocupe. Sus deseos se verán cumplidos —prometió el arzobispo.

Y poco después el arzobispo fundó el Colegio de Doncellas Nobles. Y las primeras alumnas fueron las hijas del zapatero a quienes el arzobispo había dado título de nobleza.

16. En muchos países hispanohablantes los niños reciben sus regalos de Navidad ____.
- **a.** el día de la Navidad
- **b.** la víspera del día de los Reyes
- **c.** el seis de enero
- **d.** en un taller de zapatero

17. El joven iba vestido en harapos porque ____.
- **a.** era muy pobre
- **b.** era estudiante universitario
- **c.** necesitaba zapatos
- **d.** tenía un hermanito de cinco años

18. El joven le pidió al zapatero que le hiciera zapatos porque ____.
- **a.** su hermanito era un niño enfermo
- **b.** su hermanito pensaba recibir zapatos de los Reyes
- **c.** su hermanito siempre iba descalzo
- **d.** su hermanito tenía sólo cinco años

19. El joven universitario piensa ser ____.
- **a.** zapatero también
- **b.** un señor rico y generoso
- **c.** uno de los Reyes Magos
- **d.** arzobispo

20. El arzobispo recompensa la generosidad del zapatero ____.
- **a.** invitándolo al palacio arzobispal
- **b.** estableciendo una escuela en su honor
- **c.** dándole dinero y títulos de nobleza a sus dos hijas
- **d.** tratándolo con mucha confianza

Examen 3

Comprensión de la gramática en contexto

Parte 1 Escoge la mejor respuesta a cada pregunta.

1. ¿De dónde es el señor?
a. de México
b. en Madrid
c. el señor Salas
d. sí, de dónde

2. ¿Cuándo fuiste?
a. ahora
b. mañana
c. ayer
d. con Tomás

3. ¿De quién es?
a. ¿Quién es Carlos?
b. Es mío.
c. Es de Cuba.
d. Es un libro.

4. ¿Cuántos años tienes?
a. Tienes quince años.
b. Tiene quince años.
c. Tengo quince años.
d. Tienen quince años.

5. ¿Han regresado?
a. Sí, han llegado esta mañana.
b. Sí, estarán aquí mañana.
c. Sí, he regresado.
d. Sí, salen pronto.

6. ¿Le hablaste a Juan?
a. Sí, le hablaste.
b. Sí, Juan le habló.
c. Sí, les hablaron.
d. Sí, le hablé.

7. ¿Lo vas a hacer?
a. Sí, si quieren.
b. Sí, vas.
c. Sí, lo voy a hacer.
d. Sí, lo haces.

8. ¿A qué hora te acostaste?
a. A la hora que te levantaste.
b. Acosté al bebé a las ocho.
c. Me acosté a las once.
d. Te acostaste temprano.

9. ¿Qué hicieron ustedes?
a. Lo hicieron con ustedes.
b. Ustedes vieron una película.
c. Fuimos al cine.
d. No lo haremos.

10. ¿Qué te compraste?
a. Me compró un carro nuevo.
b. Te compraste un carro lujoso.
c. Te compré un carro nuevo.
d. Me compré un carro nuevo.

Parte 2 Escoge la mejor opción para completar cada oración.

11. ¿Quién ____ tu amigo?
a. eres
b. es
c. son
d. soy

12. Tú lo ____ hacer.
a. podes
b. podemos
c. puedes
d. puede

13. Yo ____ enseguida.
a. salgo
b. salo
c. salga
d. saldrá

14. ¿Quiénes lo ____?
a. tuvo
b. tuviste
c. tubieron
d. tuvieron

15. Ellos lo ____ a saber mañana.
a. va
b. van
c. vamos
d. vas

16. —¿Te lo comiste todo?
—Sí, ____ todo.
a. te lo comiste
b. te lo comimos
c. me lo comí
d. se lo comió

17. El avión está ____ de la pista ahora.
   a. despegar
   b. despegue
   c. despega
   d. despegando

18. —¿Ellos volvieron?
   —Sí, ____.
   a. volvieron
   b. vuelven
   c. volvimos
   d. volver

19. —¿Ella los invitó a ustedes?
   —Sí, ____ invitó.
   a. las
   b. él
   c. los
   d. nos

20. ¿A qué hora ____ levantaste?
   a. me
   b. se
   c. te
   d. nos

21. Este regalo es para ____.
   a. tú
   b. ti
   c. te
   d. tigo

22. —¿Quién te compró la chaqueta?
   —Mi padre me ____ compró.
   a. lo
   b. la
   c. le
   d. te

23. Tengo ____ trabajar.
   a. a
   b. en
   c. que
   d. de

24. Vamos ____ jugar fútbol.
   a. a
   b. en
   c. de
   d. *nada*

25. Yo quiero ____ salir.
   a. a
   b. de
   c. *nada*
   d. que

26. —¿Tienen ustedes sus libros?
   —Sí, tenemos ____ libros.
   a. sus
   b. nuestros
   c. tus
   d. mis

27. ____ joven es guapo.
   a. El
   b. La
   c. Los
   d. Las

28. La profesora es muy ____.
   a. sinceras
   b. interesantes
   c. duro
   d. buena

29. ¿Tú quieres ____ aquí?
   a. trabajas
   b. trabajar
   c. trabaja
   d. trabajando

30. —¿Ustedes van a volver?
   —Sí ____.
   a. volvimos
   b. hemos vuelto
   c. van a volver
   d. volveremos

Parte 3 Escoge la mejor opción para completar cada oración.

31. Ella ____ médica.
   a. es
   b. está

32. Mi casa no ____ en la calle principal.
   a. es
   b. está

33. Esta sopa tiene muy buen sabor. Me gusta. ____ muy buena.
   a. Es
   b. Está

34. Madrid ____ en España.
   a. es
   b. está

35. Mis amigos ____ de México.
   a. son
   b. están

36. Roberto es un amigo mío. Lo ____ bien.
a. sé
b. conozco

37. ¿Quién ____ dónde vive?
a. sabe
b. conoce

38. Ellos ____ la literatura mexicana.
a. saben
b. conocen

39. Ella ____ la guitarra.
a. toca
b. juega

40. Yo ____ dije lo que había pasado.
a. los
b. les

41. Ellos me lo ____.
a. pedieron
b. pidieron

42. Levanta ____ mano si tienes una pregunta.
a. el
b. la

43. ____ fuente está en el puente.
a. El
b. La

44. El canario es ____ ave.
a. un
b. una

Parte 4 Escoge la mejor opción para completar cada oración.

45. ____ que tengo aquí en mi bolsillo es mío.
a. Ese
b. Aquel
c. Este
d. Esto

46. Yo quiero que tú me lo ____.
a. dices
b. dirás
c. dijiste
d. digas

47. ¿Les hablarás cuando ____?
a. vienen
b. vengan
c. vinieron
d. vendrán

48. Este hospital es ____ bueno como el otro.
a. más
b. tanto
c. tan
d. mejor

49. Yo haré el viaje si ____ bastante dinero.
a. tengo
b. tendré
c. tuviera
d. tendría

50. Ellos llegaron antes de que tú ____.
a. saliste
b. salgas
c. salieras
d. sales

Examen 4

Poder verbal—Vocabulario

Parte 1 Escoge la mejor opción para completar cada oración.

1. La sala o el salón de clase es ____.
- **a.** una escuela
- **b.** un laboratorio
- **c.** un curso
- **d.** un aula

2. Muchos alumnos toman ____ mientras la profesora habla.
- **a.** palabras
- **b.** frases
- **c.** apuntes
- **d.** atención

3. Un alumno ____ trabaja mucho.
- **a.** inteligente
- **b.** diligente
- **c.** perezoso
- **d.** atrevido

4. No se puede leer ____.
- **a.** una revista
- **b.** un periódico
- **c.** un libro
- **d.** un cuadro

5. Compramos ____ en una papelería.
- **a.** ropa
- **b.** materiales escolares
- **c.** computadoras
- **d.** papas

6. ____ trabaja en el café.
- **a.** El cliente
- **b.** El maletero
- **c.** El sobrecargo
- **d.** El mesero

7. Las cosas que me interesan no me ____.
- **a.** gustan
- **b.** aburren
- **c.** faltan
- **d.** importan

8. El fútbol y el básquetbol son deportes de ____.
- **a.** equipaje
- **b.** equipo
- **c.** jugadores
- **d.** campo

9. Para jugar tenis, hay que tener ____.
- **a.** balones
- **b.** bolas
- **c.** pelotas
- **d.** globos

10. El hijo de mi tía es mi ____.
- **a.** sobrino
- **b.** nieto
- **c.** primo
- **d.** suegro

11. El médico examina a sus pacientes en su ____.
- **a.** oficina
- **b.** consulta o consultorio
- **c.** despacho
- **d.** salón

12. Hay ____ grandes cuando el mar está revuelto.
- **a.** arenas
- **b.** ondas
- **c.** olas
- **d.** bandas

13. La muchacha va a ____ quince años.
- **a.** cumplir
- **b.** pasar
- **c.** hacer
- **d.** nacer

14. Tiene una pierna rota y el médico la va a ____.
- **a.** romper
- **b.** vendar
- **c.** enyesar
- **d.** medir

15. El partido de fútbol se divide en ____.
- **a.** campos
- **b.** canchas
- **c.** tiempos
- **d.** juegos

16. Necesito más materiales. Me ____.
- **a.** sobran
- **b.** faltan
- **c.** bastan
- **d.** quedan

17. Tiene la temperatura elevada. Tiene ____.
- **a.** catarro
- **b.** tos
- **c.** dolor de cabeza
- **d.** fiebre

18. Los aviones despegan y aterrizan en ____.
   a. un carril
   b. una banda
   c. una pista
   d. un despegue y aterrizaje

19. Los pasajeros están ____ su equipaje. No lo verán de nuevo hasta llegar a su destino.
   a. haciendo
   b. reclamando
   c. recogiendo
   d. facturando

20. Una novela se divide en ____.
   a. actos
   b. diálogos
   c. capítulos
   d. narraciones

21. Estaba durmiendo y un ruido me ___.
   a. despertó
   b. levantó
   c. oyó
   d. arruinó

22. Puedes leer la información que te sale en ____ de la computadora.
   a. la pantalla
   b. el teclado
   c. el módem
   d. el archivo

23. El tren llegó ____. Había una demora.
   a. a tiempo
   b. temprano
   c. en punto
   d. tarde

24. El cocinero ___ el caldo.
   a. asó
   b. frió
   c. cortó
   d. hirvió

25. La mesa se cubre con ____.
   a. una manta
   b. un mantel
   c. una servilleta
   d. un mesero

Parte 2 Escoge la palabra que no pertenece.

26.	a. la factura	b. la cuenta	c. la nota	d. el recibo
27.	a. alegre	b. feliz	c. simpático	d. contento
28.	a. oír	b. ver	c. oler	d. hablar
29.	a. deprimido	b. enérgico	c. triste	d. apenado
30.	a. enseñar	b. mostrar	c. ensayar	d. instruir
31.	a. atrevido	b. audaz	c. tímido	d. osado
32.	a. tomar	b. dar	c. regalar	d. otorgar
33.	a. rico	b. acomodado	c. adinerado	d. avaro
34.	a. labor	b. diversión	c. tarea	d. trabajo
35.	a. débil	b. enfermizo	c. raquítico	d. robusto
36.	a. aumentar	b. restar	c. subir	d. añadir
37.	a. arreglado	b. roto	c. estropeado	d. descompuesto
38.	a. caliente	b. caluroso	c. caldo	d. cálido
39.	a. flexible	b. terco	c. obstinado	d. testarudo
40.	a. terminar	b. inaugurar	c. acabar	d. finalizar

Parte 3 Escoge la mejor opción para completar la idea expresada en la oración original.

41. Yo confío mucho en ella.
- **a.** Yo también. Siempre cumple con su palabra.
- **b.** Yo también. Ella es muy dependiente.
- **c.** Yo también. Ella nunca hace nada.
- **d.** Yo también. De vez en cuando tiene éxito.

42. Él siempre quiere ayudar a todos.
- **a.** Es muy arrogante.
- **b.** Es muy benévolo.
- **c.** Es muy divertido.
- **d.** Es muy chistoso.

43. El edificio le pertenece a él.
- **a.** Es el patrón.
- **b.** Es el jefe.
- **c.** Es el dueño.
- **d.** Es el peón.

44. ¿Es extranjero él?
- **a.** Sí, es de otro país pero no sé de cuál.
- **b.** No, es forastero.
- **c.** Sí, es bastante extraño. Hace cosas que ...
- **d.** No, es ingeniero.

45. ¿Él es sordo?
- **a.** Sí, no puede hablar.
- **b.** Sí, escribe con la mano izquierda.
- **c.** Sí, no ve.
- **d.** Sí, no oye.

46. ¿Por qué están haciendo cola?
- **a.** Quieren pedir una soda.
- **b.** Quieren ver la cola del cocodrilo.
- **c.** Quieren comprar entradas para el cine.
- **d.** Siempre están haciendo algo.

47. ¿Tú crees que van a fracasar?
- **a.** No, no. Creo que van a tener mucho éxito.
- **b.** No, no. Creo que van a salir muy mal.
- **c.** Sí, porque saben exactamente lo que están haciendo.
- **d.** No, porque no tienen idea de lo difícil que es.

48. ¿Qué van a hacer en la playa?
- **a.** Trabajar.
- **b.** Preparar su plato favorito.
- **c.** Nadar y tomar el sol.
- **d.** Hervir el agua del mar.

49. ¿De dónde sale el tren?
- **a.** de la estación de ferrocarril
- **b.** de la parada de autobús
- **c.** del aeropuerto
- **d.** del subterráneo

50. ¿Qué significa «autoservicio»?
- **a.** Se reparan automóviles.
- **b.** El servicio es automático.
- **c.** Tienes que servirte tú mismo.
- **d.** El servicio es excelente.

Answer Key

Examen 1
Comprensión oral

Parte 1
1. a. b. **c.** d.
2. a. b. **c.** d.
3. a. **b.** c. d.
4. a. **b.** c. d.
5. a. b. **c.** d.
6. a. b. **c.** d.
7. a. b. c. **d.**
8. a. b. c. **d.**
9. a. b. **c.** d.
10. **a.** b. c. d.
11. a. **b.** c. d.
12. **a.** b. c. d.
13. a. b. c. **d.**
14. a. **b.** c. d.

Parte 2
15. a. b. c. **d.**
16. a. b. **c.** d.
17. **a.** b. c. d.

Parte 3
18. a. **b.** c. d.
19. a. b. **c.** d.
20. a. b. **c.** d

Examen 2
Lectura—Comprensión

Parte 1
1. a. **b.** c. d.
2. a. b. **c.** d.
3. a. b. **c.** d.
4. a. **b.** c. d.
5. **a.** b. c. d.
6. a. b. **c.** d.
7. a. b. c. **d.**
8. a. b. **c.** d.
9. a. b. c. **d.**
10. a. **b.** c. d.

Parte 2
11. a. b. **c.** d.
12. a. b. **c.** d.
13. a. **b.** c. d.
14. a. **b.** c. d.
15. a. b. c. **d.**

Parte 3
16. a. b. **c.** d.
17. **a.** b. c. d.
18. a. **b.** c. d.
19. a. b. c. **d.**
20. a. b. **c.** d.

Examen 3
Comprensión de la gramática en contexto

Parte 1
1. **a.** b. c. d.
2. a. b. **c.** d.
3. a. **b.** c. d.
4. a. b. **c.** d.
5. **a.** b. c. d.
6. a. b. c. **d.**
7. a. b. **c.** d.
8. a. b. **c.** d.
9. a. b. **c.** d.
10. a. b. c. **d.**

Parte 2
11. a. **b.** c. d.
12. a. b. **c.** d.
13. **a.** b. c. d.
14. a. b. c. **d.**
15. a. **b.** c. d.
16. a. b. **c.** d.
17. a. b. c. **d.**
18. **a.** b. c. d.
19. a. b. c. **d.**
20. a. b. **c.** d.
21. a. **b.** c. d.
22. a. **b.** c. d.
23. a. b. **c.** d.
24. **a.** b. c. d.

25. a. b. (c.) d.

26. a. (b.) c. d.

27. (a.) b. c. d.

28. a. b. c. (d.)

29. a. (b.) c. d.

30. a. b. c. (d.)

Parte 3

31. (a.) b.

32. a. (b.)

33. a. (b.)

34. a. (b.)

35. (a.) b.

36. a. (b.)

37. (a.) b.

38. a. (b.)

39. (a.) b.

40. a. (b.)

41. a. (b.)

42. a. (b.)

43. a. (b.)

44. (a.) b.

Parte 4

45. a. b. (c.) d.

46. a. b. c. (d.)

47. a. (b.) c. d.

48. a. b. (c.) d.

49. (a.) b. c. d.

50. a. b. (c.) d.

Examen 4

Poder verbal—Vocabulario

Parte 1

1. a. b. c. (d.)

2. a. b. (c.) d.

3. a. (b.) c. d.

4. a. b. c. (d.)

5. a. (b.) c. d.

6. a. b. c. (d.)

7. a. (b.) c. d.

8. a. (b.) c. d.

9. a. b. (c.) d.

10. a. b. (c.) d.

11. a. (b.) c. d.

12. a. b. (c.) d.

13. (a.) b. c. d.

14. a. b. (c.) d.

15. a. b. (c.) d.

16. a. (b.) c. d.

17. a. b. c. (d.)

18. a. b. (c.) d.

19. a. b. c. (d.)

20. a. b. (c.) d.

21. (a.) b. c. d.

22. (a.) b. c. d.

23. a. b. c. (d.)

24. a. b. c. (d.)

25. a. (b.) c. d.

Parte 2

26. a. b. c. (d.)

27. a. b. (c.) d.

28. a. b. c. (d.)

29. a. (b.) c. d.

30. a. b. (c.) d.

31. a. b. (c.) d.

32. (a.) b. c. d.

33. a. b. c. (d.)

34. a. (b.) c. d.

35. a. b. c. (d.)

36. a. (b.) c. d.

37. (a.) b. c. d.

38. a. b. (c.) d.

39. (a.) b. c. d.

40. a. (b.) c. d.

Parte 3

41. (a.) b. c. d.

42. a. (b.) c. d.

43. a. b. (c.) d.

44. (a.) b. c. d.

45. a. b. c. (d.)

46. a. b. (c.) d.

47. (a.) b. c. d.

48. a. b. (c.) d.

49. (a.) b. c. d.

50. a. b. (c.) d.

Examen 5

Lengua hablada

Parte 1 Contesta.

1. ¿Cómo te llamas?
2. ¿Dónde vives?
3. ¿Cuántos años tienes?
4. ¿Hace cuántos años que asistes a esta escuela?
5. ¿Cuál es tu asignatura favorita? ¿Por qué te gusta tanto?
6. ¿Qué hiciste el verano pasado?
7. ¿Qué te gustaría hacer algún día?
8. ¿Te gustaría viajar? ¿Qué te gustaría ver?
9. ¿Hay algo que te haya pasado que te haya hecho muy feliz o muy triste? ¿Qué?
10. ¿Qué buscas en un amigo o una amiga ideal?

Parte 2 Selecciona *dos* de los cuatro dibujos que siguen y descríbelos.

1.

2. 3.

4.

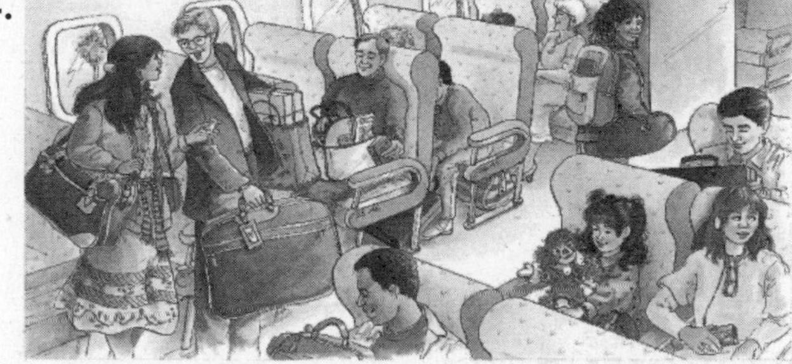

Rubric

Examen 5

Parte 1

Comprehensibility

3 Responses are easily understood by the listener
Speaker demonstrates complete comprehension of question

2 Responses are generally understood by the listener but may at times require some interpretation
Speaker demonstrates comprehension of question

1 Responses are not easily understood by the listener and require frequent interpretation
Speaker may not have understood the question

0 Speaker demonstrates complete lack of comprehension of the question and/or response is completely incomprehensible

Language and Vocabulary

3 Uses a variety of vocabulary and expressions correctly
Demonstrates a knowledge of less commonly used vocabulary and/or expressions
Makes use of familiar vocabulary to explain the unfamiliar

2 Uses basic vocabulary and expressions correctly
Lacks variety of vocabulary and/or expressions and often repeats phrases or words
Uses some English to substitute unfamiliar Spanish words but only infrequently

1 Uses vocabulary and expressions incorrectly
Demonstrates no variety of vocabulary and/or expressions
Makes frequent use of English to try to convey message

0 Demonstrates complete lack of comprehension of the question and/or response is completely incomprehensible

Fluency

3 Uses complete thoughts
Speech is continuous with natural pauses

2 Intersperses some incomplete thoughts
Speech contains some unnatural pauses and hesitations

1 Uses mostly incomplete thoughts
Speech has many unnatural pauses and hesitations

0 Cannot respond and/or is completely incomprehensible

Pronunciation

3 Speaker is easily understood
Pronunciation and intonation enhance communication
Accent approaches that of a native speaker

2 Speaker is mostly understood
Pronunciation rarely interferes with communication
Accent is sometimes heavily marked

1 Speaker is difficult to understand
Pronunciation interferes with communication
Accent is so heavily marked that the speaker is sometimes incomprehensible

0 Accent makes speech completely incomprehensible

Parte 2

Comprehensibility

3 Responses are easily understood by the listener

2 Responses are mostly understood by the listener but require some interpretation

1 Responses not easily understood by listener and require frequent interpretation

0 Speaker cannot give response and/or is completely incomprehensible

Language and Vocabulary

3 Uses a rich variety of vocabulary and expressions appropriate to the topic
Makes use of familiar vocabulary to explain the unfamiliar

2 Uses basic vocabulary and expressions appropriate to the topic
Uses some English to substitute unfamiliar Spanish words but only infrequently

1 Uses incorrect vocabulary and expressions
Makes frequent use of English to try to convey message

0 Cannot give response and/or is completely incomprehensible

Fluency

3 Uses complete thoughts
Speech is continuous with natural pauses

2 Intersperses some incomplete thoughts
Speech contains some unnatural pauses and hesitations

1 Uses mostly incomplete thoughts
Speech has many unnatural pauses and hesitations

0 Cannot respond and/or is completely incomprehensible

Pronunciation

3 Speaker is easily understood
Pronunciation and intonation enhance communication
Accent approaches that of a native speaker

2 Speaker is mostly understood
Pronunciation rarely interferes with communication
Accent is sometimes marked

1 Speaker is difficult to understand
Pronunciation interferes with communication
Accent is so heavily marked that the speaker is sometimes incomprehensible

0 Speaker's accent makes speech completely incomprehensible

Examen 6

Lengua hablada

Imagina que me quieres invitar a una fiesta que va a dar tu familia. Invítame. Yo tomaré parte en la conversación.

Rubric

Examen 6

Comprehensibility

3 Responses are easily understood by listener
Understands questions asked by listener and vice-versa

2 Responses are mostly understood by the listener but require some interpretation
Demonstrates comprehension of listener but may at times become confused

1 Responses are hardly understood by listener and require a significant amount of interpretation
May not understand questions asked by listener

0 Cannot give response and/or is completely incomprehensible

Language and Vocabulary

3 Uses a rich variety of vocabulary and expressions appropriate to the topic
Makes use of familiar vocabulary to explain the unfamiliar

2 Uses basic vocabulary and expressions appropriate to the topic
Uses some English to substitute unfamiliar Spanish words but only infrequently

1 Uses incorrect vocabulary and expressions
Makes frequent use of English to try to convey message

0 Cannot give response and/or is completely incomprehensible

Fluency

3 Uses complete thoughts
Speech is continuous with natural pauses
Conversation flows smoothly

2 Intersperses some incomplete thoughts
Speech has some unnatural pauses and hesitations
Conversation doesn't always flow smoothly

1 Uses mostly incomplete thoughts
Speech has many unnatural pauses and hesitations
Conversation is strained

0 Cannot respond and/or is completely incomprehensible

Pronunciation

3 Speaker is easily understood
Pronunciation and intonation enhance communication
Accent approaches that of a native speaker

2 Speaker is mostly understood
Pronunciation rarely interferes with communication
Accent is sometimes marked

1 Speaker is difficult to understand
Pronunciation interferes with communication
Accent is so heavily marked that the speaker is sometimes incomprehensible

0 Speaker cannot respond and/or is completely incomprehensible

Examen 7

Redacción

1. Escoge *dos* de los siguientes temas. Explica cada tema en un párrafo de un mínimo de cinco frases.

   Un día en la escuela

   Un día en la playa

   Un viaje

   Una experiencia interesante

2. El/La autor(a) de una autobiografía escribe sobre su propia vida. Escribe tu autobiografía. Incluye tantos detalles posibles desde tu nacimiento hasta la actualidad.

Rubric

Examen 7

Content

3 Includes all required information and is well organized
Demonstrates use of a wide variety of vocabulary

2 Includes most of required information but needs more organization
Use of vocabulary is appropriate but is sometimes redundant and lacks variety

1 Lacks a significant amount of required information and/or is incoherent in its organization
Vocabulary is limited and may be used inappropriately

0 No response given

Grammar

3 Demonstrates a good command of syntax and use of verbs
Uses complex as well as basic grammar structures
Contains some errors but these do not interfere with comprehension on the part of the reader

2 Demonstrates an adequate command of syntax and use of verbs
Uses basic grammar structures but almost no complex grammar structures
Contains some errors which can hinder comprehension on the part of the reader

1 Demonstrates a limited command of syntax and use of verbs
Struggles with basic grammar structures
Contains many errors, many of which hinder comprehension on the part of the reader

0 No response given

Spelling and Punctuation

3 Demonstrates superior knowledge of spelling and punctuation
Use of accent marks and capitalization is correct

2 Contains more than a few spelling and/or punctuation errors
Use of accent marks and capitalization is mostly correct

1 Contains a lot of spelling and/or punctuation errors
Use of accent marks and capitalization is seldom correct

0 No response given

Nombre ______________________ Fecha ______________________

Student Evaluation Card

Examen 1: Comprensión oral

Parte 1 (14 items × 5 = 70) Score: ____________

Parte 2 (6 items × 5 = 30) Score: ____________

Total: ____________

Examen 2: Lectura—Comprensión

Parte 1 (10 items × 5 = 50) Score: ____________

Parte 2 (5 items × 5 = 25) Score: ____________

Parte 3 (5 items × 5 = 25) Score: ____________

Total: ____________

Examen 3: Comprensión de la gramática en contexto

Parte 1 (10 items × 2 = 20) Score: ____________

Parte 2 (20 items × 2 = 40) Score: ____________

Parte 3 (14 items × 2 = 28) Score: ____________

Parte 4 (6 items × 2 = 12) Score: ____________

Total: ____________

Examen 4: Poder verbal—Vocabulario

Parte 1 (25 items × 2 = 50) Score: ____________

Parte 2 (15 items × 2 = 30) Score: ____________

Parte 3 (10 items × 2 = 20) Score: ____________

Total: ____________

Total Score: ____________

Score	**Placement**
0–80 Examen 1	Spanish as a Foreign Language
80–100 Examen 1 Composite Score 101–250	Spanish for Heritage Speakers (Group II proficiency)
80–100 Examen 1 Composite Score 251–400	Spanish for Heritage Speakers (Group I Proficiency)

Examen 5: Lengua hablada

Parte 1

Comprehensibility Score: ______________

Language and Vocabulary Score: ______________

Fluency Score: ______________

Pronunciation Score: ______________

Parte 2

Comprehensibility Score: ______________

Language and Vocabulary Score: ______________

Fluency Score: ______________

Pronunciation Score: ______________

Total Score: ______________

Rubric Score	**Placement**
0–4	Spanish as a Foreign Language
5–14	Spanish for Heritage Speakers (Group II proficiency)
15–24	Spanish for Heritage Speakers (Group I proficiency)

Examen 6: Lengua hablada—Entrevista *(optional)*

Comprehensibility Score: ______________

Language and Vocabulary Score: ______________

Fluency Score: ______________

Pronunciation Score: ______________

Total Score: ______________

Rubric Score	**Placement**
0–3	Spanish as a Foreign Language
4–8	Spanish for Heritage Speakers (Group II proficiency)
9–12	Spanish for Heritage Speakers (Group I proficiency)

Examen 7: Redacción *(optional)*

Content Score: ______________

Grammar Score: ______________

Spelling and Punctuation Score: ______________

Total Score: ______________

Rubric Score	**Placement**
0–3	Spanish for Heritage Speakers (Group II proficiency)
4–9	Spanish for Heritage Speakers (Group I proficiency)